MODERATE LEVEL

MATCHING CHINESE CHARACTERS

AND PINYIN

把汉字和拼音连起来

MANDARIN CHINESE PINYIN TEST SERIES

测试你的拼音知识

PART 17

Simplified Mandarin Chinese Characters with Pinyin and English, Mind Games, Test Your Knowledge of Pinyin with Multiple Answer Choice Puzzle Questions, Fast Reading & Vocabulary, Answers Included, Easy Lessons for Beginners, HSK All Levels

DENG YIXIN 邓艺心

ACKNOWLEDGEMENT

I would like to thank everyone who helped me complete this book, including my teachers, family members, friends, colleagues.

谢谢

Deng Yixin

邓艺心

INTRODUCTION

Chinese language and culture are a huge concept. In order to understand and appreciate Mandarin Chinese, we need to understand the language. Learning Chinese character is a very important part of learning the language. And, yes, learning pinyin is a must!

Welcome to **Connecting Chinese Characters and Pinyin Test Series**. Now you can test the knowledge of your Chinese pinyin (测试你的拼音知识). In these books and lessons therein, you will learn recognizing pinyin of the simplified Chinese characters. The books contain hundreds of character-pinyin matching **puzzles** (questions). For each question, there are Chinese characters in the left column and pinyin in the right column. You need to guess the correct pinyin of the given characters (把汉字和拼音连起来). The **English** meanings of the Chinese characters has been included a quick reference. The answers of all the question are provided at the end of the book.

CONTENTS

CHAPTER 1: QUESTIONS (1-30)

#1.

A. 艋   1. Gū (Wood pigeon)

B. 秃   2. Ào (A surname)

C. 鸪   3. Měng (Boat)

D. 浇   4. Tū (Bald)

E. 泊   5. Pō (Lake)

#2.

A. 职   1. Sì (Temple)

B. 位   2. Zhí (Duty)

C. 祖   3. Lú (Stove)

D. 寺   4. Wèi (Place)

E. 炉   5. Tǎn (Leave uncovered)

#3.

A. 海   1. Tián (Field)

B. 戛   2. Yì (Assist)

C. 貃   3. Jiá (Knock gently)

D. 翊   4. Huán (Young raccoon dog)

E. 田   5. Hǎi (Sea)

#4.

A. 贷   1. Tiǎn (Extirpate)

B. 尺   2. Cháo (Royal court)

C. 朝   3. Dài (Loan)

D. 殄   4. Luǎn (Egg)

E. 卵   5. Chǐ (A note of the scale in gongchepu , corresponding
to 2 in numbered musical notation)

#5.

A. 击   1. Jī (Beat)

B. 魂   2. Jìn (Die of hunger)

C. 愿   3. Yě (Open country)

D. 野   4. Yuàn (Hope)

E. 殣   5. Hún (Soul)

#6.

A. 郡   1. Yǎn (Have a nightmare)

B. 刹   2. Téng (Gallop)

C. 骰   3. Tóu (Dice)

D. 腾   4. Chà (Buddhist temple)

E. 魇   5. Jùn (Prefecture)

#7.

A. 甸   1. Fú (Not)

B. 髋   2. Diān (Suburb)

C. 弗   3. Piān (A piece of writing)

D. 篇   4. Kuān (Hip)

E. 轮   5. Lún (Wheel)

#8.

A. 枸   1. Gǒu (Chinese wolfberry)

B. 焊   2. Bān (Spot)

C. 粽   3. Gēng (Plough)

D. 斑   4. Zòng (Rice dumplings)

E. 耕   5. Hàn (Weld)

#9.

A. 边   1. Mài (A light rain)

B. 霡   2. Biān (Side)

C. 忍   3. Rěn (Bear)

D. 转   4. Zhuǎn (Change)

E. 差   5. Chāi (Send on an errand)

#10.

A. 炼   1. Tǎ (Sole)

B. 鳎   2. Chù (Domestic animal)

C. 旷   3. Shuāng (Frost)

D. 霜   4. Liàn (Refine)

E. 畜   5. Kuàng (Vast)

#11.

A. 盒   1. Hé (Box)

B. 瘠   2. Fěi (Be at a loss for words)

C. 悱   3. Jí (Lean)

D. 任   4. Rèn (Appoint)

E. 旌   5. Jīng (Flag)

#12.

A. 尚   1. Chù (Place)

B. 陂   2. Bēi (Pond)

C. 厦   3. Shàng (Still)

D. 闯   4. Shà (A tall building)

E. 处					5. Chuǎng (Rush)

#13.

A. 泫					1. Kǎ (Block)

B. 卡					2. Bà (Harrow)

C. 鹏					3. Xuàn (Drip)

D. 琏					4. Péng (Roc)

E. 耙					5. Liǎn (An ancient vessel for broomcorn millet)

#14.

A. 残					1. Cán (Incomplete)

B. 柰					2. Nài (A kind of apple)

C. 崇					3. Xiāo (Valiant)

D. 颈					4. Jǐng (Neck)

E. 骁					5. Chóng (High)

#15.

A. 矣					1. Yǐ (Used at the end of a sentence (like 了))

B. 罟					2. Yún (Surname)

C. 遮					3. Gǔ (Fish net)

D. 竟					4. Jìng (Finish)

E. 云   5. Zhē (Cover)

#16.

A. 那   1. Jǐng (Trap)

B. 阱   2. Bù (Vase)

C. 遢   3. Rù (Elaborate)

D. 缛   4. Nuó (A surname)

E. 瓿   5. Tà (Careless)

#17.

A. 阼   1. Zuò (Steps at the eastern entryway where a host
welcomes guests)

B. 戌   2. Gē (Armpit)

C. 芜   3. Xū (The eleventh of the twelve Earthly Branches)

D. 胳   4. Wú (Grassland)

E. 幼   5. Yòu (Young)

#18.

A. 盔   1. Xuàn (Jade)

B. 琐   2. Suǒ (Trivial)

C. 抽   3. Kuī (Helmet)

D. 琄   4. Pǐ (Addiction)

E. 癖   5. Chōu (To draw out)

#19.

A. 缘   1. Bèi (A surname)

B. 乘   2. Yuán (Reason)

C. 研   3. Chéng (Ride)

D. 沛   4. Yán (Grind)

E. 犍   5. Jiān (Bullock)

#20.

A. 惆   1. Xuān (Declare)

B. 甩   2. Zhuī (Brindle)

C. 局   3. Jiǎo (Self-respect)

D. 骓   4. Jú (Chessboard)

E. 宣   5. Chóu (Sad)

#21.

A. 雁   1. Mǐ (Blown away by the wind)

B. 败   2. Bài (Defeat)

C. 斨   3. Qiāng (An ancient axe)

D. 靡   4. Yàn (Wild goose)

E. 奴   5. Nú (Bondservant)

#22.

A. 欸   1. Ǎi (Sigh)

B. 骴   2. Chuān (River)

C. 斐   3. Fěi (Rich with literary grace)

D. 川   4. Cī (Skeleton)

E. 虔   5. Qián (Pious)

#23.

A. 魔   1. Mó (Devil)

B. 魋   2. Bì (Fall down)

C. 屑   3. Xiè (Bits)

D. 毙   4. Gāng (Ridge (of a hill))

E. 冈   5. Xiāo (Mountain elf)

#24.

A. 元   1. Wǎng (Demons and monsters)

B. 皱   2. Rì (Post horse)

C. 魍   3. Yuán (First)

D. 鱿   4. Yóu (Squid)

E. 骈   5. Cūn (Chapped)

#25.

A. 灰   1. Huī (Ash)

B. 脔   2. Qián (In place names)

C. 鞅   3. Jiān (Difficult)

D. 艰   4. Luán (A small slice of meat)

E. 軒   5. Yāng (Martingale)

#26.

A. 邺   1. Yè (An ancient place name)

B. 贾   2. Āi (Sigh)

C. 穿   3. Chuān (Pierce through)

D. 欸   4. Jiǎ (A surname)

E. 翳   5. Yì (Slight corneal opacity)

#27.

A. 沄   1. Yún (Sunlight)

B. 璪   2. Zǎo (Silk tassels threaded with jades hanging from a coronet)

C. 弎   3. Lí (Li, a unit of length)

D. 昀   4. Sān (Variant of 三)

E. 厘   5. Fēng (Sound of the flowing water)

#28.

A. 銮   1. Liàng (Bright)

B. 诶   2. Luán (An imperial carriage)

C. 念   3. Dì (Target)

D. 的   4. Niàn (Read aloud)

E. 亮   5. Huī (Tease)

#29.

A. 秀   1. Xiù (Put forth flowers or ears)

B. 靡   2. Fěi (Bandit)

C. 窿   3. Lóng (Gallery)

D. 匪   4. Cè (Lavatory)

E. 厕   5. Mǐ (No)

#30.

A. 罩   1. Bǐ (Pen)

B. 教   2. Guī (Be converted to Buddhism)

C. 皈   3. Gē (Put)

D. 笔   4. Jiāo (Teach)

E. 搁   5. Fú (Bird-net)

CHAPTER 2: QUESTIONS (31-60)

#31.

A. 廌   1. Jié (Outstanding person)

B. 馐   2. Sì (A spade-shaped farm tool used in ancient China)

C. 杰   3. Sī (A legendary beast)

D. 耜   4. Xiū (Delicacy)

E. 和   5. Huò (Mix)

#32.

A. 隙   1. Qīng (A minister or a high official in ancient times)

B. 寒   2. Chún (Mellow wine)

C. 洏   3. Hán (Cold)

D. 醇   4. Xì (Crack)

E. 卿   5. Ér (Lukewarm water)

#33.

A. 隅   1. Lín (Neighbor)

B. 翘   2. Yú (Corner)

C. 拿   3. Zhì (Climb)

D. 邻   4. Ná (Hold)

E. 陕   5. Qiào (Stick up)

#34.

A. 郓   1. Pì (Brick)

B. 居   2. Diàn (Door latch)

C. 甓   3. Yùn (A surname)

D. 并   4. Bìng (And)

E. 灵   5. Líng (Quick)

#35.

A. 罦   1. Chà (Branch of a river or current)

B. 褶   2. Zhě (Pleat)

C. 殒   3. Yǔn (Perish)

D. 串   4. Fú (Bird-net)

E. 汊   5. Chuàn (String together)

#36.

A. 垃   1. Wú (Centipede)

B. 蜈   2. Gōng (Palace)

C. 宫   3. Yùn (Agreeable, pleasant)

D. 陨   4. Lā (Garbage)

E. 赟   5. Yǔn (Fall from the sky or outer space)

#37.

A. 唐   1. Yīn (Gray horse)

B. 准   2. Zhǔn (Standard)

C. 缋   3. Táng (For nothing)

D. 骃   4. Jiǒng (In straitened circumstances)

E. 窘   5. Huì (Paint)

#38.

A. 量   1. Sù (Respectful)

B. 覃   2. Zhòu (Day)

C. 昼   3. Chòng (Powerful)

D. 肃   4. Qín (A surname)

E. 冲   5. Liàng (Measure)

#39.

A. 递   1. Dì (Handover)

B. 匮   2. Kuì (Deficient)

C. 幺   3. Càn (Frail)

D. 孱   4. Yāo (One (used for the numeral orally))

E. 罡   5. Gāng (Strong)

#40.

A. 哭   1. Tíng (Hall)

B. 鸿   2. Hóng (Swan goose)

C. 域   3. Yù (Land within certain boundaries)

D. 庭   4. Suí (The Sui Dynasty)

E. 隋   5. Kū (Cry)

#41.

A. 坦   1. Tǎn (Level)

B. 会   2. Tóng (Pupil of eye)

C. 瞳   3. Shèn (Infiltrate)

D. 渗   4. Huì (Get together)

E. 汽   5. Qì (Vapor)

#42.

A. 墨   1. Fǎn (Reverse side)

B. 霢   2. Mài (A light rain)

C. 反   3. Gù (Turn round and look at)

D. 鹕   4. Mò (China ink)

E. 顾

5. Ér (Swallow)

#43.

A. 田

1. Shú (Ripe)

B. 呼

2. Hū (Breathe out)

C. 熟

3. Tián (Field)

D. 耷

4. Shè (Amiable and compliant)

E. 歙

5. Dā (Big-eared)

#44.

A. 耤

1. Jiù (Vulture)

B. 怖

2. Jí (Plough)

C. 月

3. Bù (Be afraid of)

D. 翡

4. Yuè (Moon)

E. 鹫

5. Fěi (Halcyon)

#45.

A. 缳

1. Gòng (Tribute)

B. 解

2. Yào (Want)

C. 要

3. Jiè (Send under guard)

D. 贡

4. Huán (Tie around with ropes)

E. 耄   5. Mào (Octogenarian)

#46.

A. 策   1. Bō (Wave)

B. 肝   2. Cè (Bamboo or wooden slips used for writing on in
ancient China)

C. 虹   3. Gěng (A well rope)

D. 波   4. Gān (Liver)

E. 绠   5. Jiàng (Rainbow)

#47.

A. 犀   1. Ǎn (I)

B. 踢   2. Xī (Rhinoceros)

C. 趾   3. Tī (To kick)

D. 俺   4. Zhǐ (Toe)

E. 区   5. Qū (Distinguish)

#48.

A. 赦   1. Fú (Cloth scarf used as a wrap)

B. 袱   2. Shè (Remit)

C. 秃   3. Lǜ (Green)

D. 绿   4. Tū (Bald)

E. 載   5. Zài (Load)

#49.

A. 漂   1. Xiè (Unlade)

B. 拳   2. Quán (Fist)

C. 卸   3. Má (A general term for hemp, flax, jute, etc.)

D. 正   4. Piào (Fai)

E. 麻   5. Zhèng (Straight)

#50.

A. 拿   1. Jù (Moist)

B. 状   2. Ná (Hold)

C. 殁   3. Mò (Die)

D. 沮   4. Zhuàng (Form)

E. 射   5. Shè (Shoot)

#51.

A. 鮒   1. Fù (Go to)

B. 昀   2. Sū (Revive)

C. 稣   3. Qī (A surname)

D. 郪   4. Yún (Sunlight)

E. 赴   5. Fù (Crucian carp)

#52.

A. 泥   1. Lǔ (Bittern)

B. 辘   2. Biān (Bats)

C. 骔   3. Lù (Hoisting tackle)

D. 蝙   4. Ní (Mud)

E. 卤   5. Zōng (Bristles)

#53.

A. 怔   1. Zhài (Stockade)

B. 戡   2. Zhēng (Seized with terror)

C. 裤   3. Kān (Suppress)

D. 寨   4. Kù (Trousers)

E. 窑   5. Yáo (Kiln)

#54.

A. 汴   1. Qíng (Feeling)

B. 韩   2. Diān (Suburb)

C. 情   3. Hán (South Korean)

D. 甸   4. Guàn (Taoist temple)

E. 观   5. Biàn (Another name for Kaifeng (in Henan Province))

#55.

A. 耽   1. Páng (Crab)

B. 劳   2. Láo (Work)

C. 螃   3. Dāngē (Delay)

D. 角   4. Jué (Role)

E. 盐   5. Yán (Salt)

#56.

A. 强   1. Lǚ (Tattered)

B. 彧   2. Qiǎng (Make an effort)

C. 褛   3. Yù (Elegant)

D. 豹   4. Qíng (Feeling)

E. 情   5. Bào (Leopard)

#57.

A. 巨   1. Cuàn (Flee)

B. 窜   2. Gōng (Supply)

C. 符   3. Fú (Tally)

D. 掌   4. Jù (Huge)

E. 供   5. Chèng (Rung)

#58.

A. 卡   1. Jiǔ (Chives)

B. 怔   2. Zhēng (Seized with terror)

C. 韭   3. Jiā (Folder)

D. 炭   4. Kǎ (Block)

E. 夹   5. Tàn (Charcoal)

#59.

A. 池   1. Huá (Paddle)

B. 划   2. Yān (Here)

C. 焉   3. Chí (Pool)

D. 赎   4. Shān (Small boat)

E. 舢   5. Shú (Redemption)

#60.

A. 跑   1. Fù (Mound)

B. 肴   2. Pǎo (Run)

C. 阜   3. Yáo (Meat and fish dishes)

D. 尼   4. Ní (Buddhist nun)

E. 奥   5. Ào (Southwest or secret corner of house)

#61.

A. 望   1. Tóng (Same)

B. 泗   2. Mó (Trace)

C. 鞁   3. Bèi (Saddle and bridle)

D. 摹   4. Sì (Nasal mucus)

E. 同   5. Wàng (Look over)

#62.

A. 戒   1. Jiè (Guard against)

B. 我   2. Bèi (Exhausted)

C. 瓢   3. Wǒ (I)

D. 惫   4. Qiàng (Prop)

E. 戗   5. Piáo (Gourd ladle)

#63.

A. 冷   1. Shèng (Win)

B. 弱   2. Xiāng (Fragrant)

C. 胜   3. Sǎo (Sister-in-law)

D. 香   4. Ruò (Weak)

E. 嫂   5. Lěng (Cold)

#64.

A. 乖   1. Guāi (Obedient)

B. 褶   2. Qiāng (Clash)

C. 翔   3. Xiáng (Circle in the air)

D. 醝   4. Cuō (White spirit)

E. 戗   5. Zhě (Pleat)

#65.

A. 矿   1. Bìng (And)

B. 跄   2. Kuàng (Ore deposit)

C. 敕   3. Zhōng (Loyal)

D. 并   4. Qiāng (Walk about)

E. 忠   5. Chì (Imperial order)

#66.

A. 邴   1. Còu (Happen by chance)

B. 袎   2. Yào (Leg of a boot)

C. 珇   3. Guī (Fine jasper)

D. 瑰   4. Hán (Name of an ancient river)

E. 凑   5. Xuàn (Jade)

#67.

A. 另   1. Tóu (Dice)

B. 骰   2. Juàn (Volume)

C. 卷   3. Lìng (Another)

D. 瓿   4. Bù (Vase)

E. 飙   5. Biāo (Storm)

#68.

A. 庄   1. Zā (Bind)

B. 孔   2. Qī (Footpath)

C. 宙   3. Zhòu (Time)

D. 蹊   4. Zhuāng (Village)

E. 外   5. Wài (Outside)

#69.

A. 竞   1. Fèng (Seam)

B. 胳   2. Zhē (Bite)

C. 辘   3. Jìng (Compete)

D. 蜇   4. Lù (Hoisting tackle)

E. 缝

5. Gē (Armpit)

#70.

A. 舸

1. Tóng (Child)

B. 从

2. Cóng (From)

C. 匜

3. Gě (Barge)

D. 的

4. Yí (Gourd-shaped ladle)

E. 童

5. Dí (Taxi)

#71.

A. 监

1. Shěn (Careful)

B. 冉

2. Sī (Cool breeze)

C. 联

3. Lián (Unite)

D. 飔

4. Jiàn (An imperial office)

E. 审

5. Rǎn (Edge of tortoise-shell)

#72.

A. 觉

1. Jué (Feel)

B. 嚏

2. Wān (Curved)

C. 舜

3. Sǎo (Sister-in-law)

D. 嫂

4. Tì (Sneeze)

E. 弯   5. Shùn (Shun, the name of a legendary monarch in ancient China)

#73.

A. 瓣   1. Bì (Certainly)

B. 超   2. Bàn (Petal)

C. 款   3. Shàng (Still)

D. 尚   4. Chāo (Exceed)

E. 必   5. Kuǎn (Sincere)

#74.

A. 怔   1. Páng (Side)

B. 旁   2. Liǔ (Tuft)

C. 辩   3. Zhèng (Stare blankly)

D. 百   4. Bǎi (Surname)

E. 绺   5. Biàn (Argue)

#75.

A. 尔   1. Duò (Pack)

B. 族   2. Chī (Demons)

C. 驮   3. Zú (Race)

D. 魑   4. Mù (Boat)

E. 睸   5. Ěr (You)

#76.

A. 常   1. Mì (Look for)

B. 罔   2. Wǎng (Deceive)

C. 觅   3. Fèn (Component)

D. 分   4. Cháng (Ordinary)

E. 割   5. Gē (Cut)

#77.

A. 炫   1. Yán (Face)

B. 颜   2. Yàn (Elegant)

C. 彦   3. Zhuàng (Strong)

D. 沟   4. Xuàn (Dazzle)

E. 壮   5. Gōu (Channel)

#78.

A. 毖   1. Dá (Tatars)

B. 韩   2. Jué (Decide)

C. 飞   3. Bì (Be cautious)

D. 决   4. Fēi (Fly)

E. 靼   5. Hán (South Korean)

#79.

A. 野   1. Chún (Lip)

B. 合   2. Yě (Open country)

C. 丫   3. Yā (Ah)

D. 唇   4. Tǔn (Float)

E. 龺   5. Gě (Ge, a unit of dry measure for grain)

#80.

A. 赋   1. Zhī (Spider)

B. 蜘   2. Lù (Dew)

C. 刘   3. Liú (A weapon)

D. 露   4. Qiáng (Strong)

E. 强   5. Fù (Endow)

#81.

A. 珽   1. Chì (Wing)

B. 旂   2. Dí (Wash)

C. 涤   3. Tǐng (Scepter)

D. 翅   4. Guī (Silicon)

E. 硅   5. Liú (A pennant)

#82.

A. 沏   1. Wú (Grassland)

B. 芜   2. Qī (Infuse)

C. 爵   3. Zhēng (Steam)

D. 冷   4. Lěng (Cold)

E. 蒸   5. Jué (The rank of nobility)

#83.

A. 喜   1. Xǐ (Be happy)

B. 璨   2. Xuàn (Jade)

C. 玥   3. Jì (A thoroughbred horse)

D. 厘   4. Lí (Li, a unit of length)

E. 骥   5. Zǎo (Silk tassels threaded with jades hanging from a
coronet)

#84.

A. 畅   1. Zhā (Prick)

B. 扎   2. Bàn (Mix)

C. 拌   3. Chàng (Smooth)

D. 卫   4. Pín (Poor)

E. 贫   5. Wèi (Defend)

#85.

A. 狈   1. Bèi (A wolf-like animal with short forelegs)

B. 隋   2. Suí (The Sui Dynasty)

C. 舤   3. Wǎn (Bowl)

D. 碗   4. Shàn (Weir)

E. 汕   5. Chuán (Boat)

#86.

A. 炮   1. Hè (Congratulate)

B. 魅   2. Páo (Prepare Chinese medicine by roasting it in a pan)

C. 贺   3. Mèi (Goblin)

D. 陇   4. Lǒng (Another name for Gansu Province)

E. 沓   5. Dá (Pile)

#87.

A. 卮   1. Chén (Short for Shenyang)

B. 崇   2. Měng (Boat)

C. 艋   3. Zhī (An ancient wine vessel)

D. 沈   4. Chóng (High)

E. 艋   5. Biàn (Boat)

#88.

A. 凉   1. Liàng (Cool)

B. 卷   2. Luàn (In a mess)

C. 译   3. Juàn (Volume)

D. 乱   4. Yì (Translate)

E. 壶   5. Hú (Kettle)

#89.

A. 卸   1. Zhì (Stumble)

B. 捂   2. Wǔ (Seal)

C. 易   3. Yì (Easy)

D. 椅   4. Xiè (Unlade)

E. 踬   5. Yǐ (Chair)

#90.

A. 於   1. Yú (What)

B. 塌   2. Méng (Sprout)

C. 萌   3. Tā (Collapse)

D. 宫   4. Chéng (Rule)

E. 程   5. Gōng (Palace)

CHAPTER 4: QUESTIONS (91-120)

#91.

A. 差 1. Chéng (Sincere)

B. 殇 2. Shāng (Die young)

C. 驴 3. Zǐ (To cultivate the soil (on plant roots))

D. 耔 4. Chà (Differ from)

E. 诚 5. Lǘ (Donkey)

#92.

A. 寂 1. Hún (A kind of jade)

B. 珲 2. Jì (Lonely)

C. 念 3. Mā (Mom)

D. 处 4. Niàn (Read aloud)

E. 妈 5. Chù (Place)

#93.

A. 冬 1. Pān (Climb)

B. 耎 2. Kuàng (Hair style)

C. 卝 3. Dōng (Winter)

D. 攀 4. Ruǎn (Pliable)

E. 万 5. Wàn (Ten thousand)

#94.

A. 泐 1. Huī (Standard of a commander)

B. 鲸 2. Jīng (Whale)

C. 审 3. Lè ((Of stones) split along the grains)

D. 泻 4. Xiè (Flow swiftly)

E. 麾 5. Shěn (Careful)

#95.

A. 裱 1. Biǎo (Mounting)

B. 瘪 2. Liú (A surname)

C. 阡 3. Dài (A black pigment used by women in ancient times to paint their eyebrows)

D. 刘 4. Biě (Shriveled)

E. 黛 5. Qiān (A footpath between fields, running north and south)

#96.

A. 豁 1. Pāo (Sth. puffy and soft)

B. 歙 2. Jí (Plough)

C. 耤 3. Xiá (Free time)

D. 暇

4. Shè (Amiable and compliant)

E. 泡

5. Háo (Raccoon dog)

#97.

A. 醁

1. Lù (Good wine)

B. 耻

2. Le (Particle of completed action)

C. 了

3. Jīn (Bear)

D. 匹

4. Pǐ (Be equal to)

E. 禁

5. Chǐ (Be ashamed of)

#98.

A. 闯

1. Dìng (Calm)

B. 定

2. Céng (Once)

C. 雷

3. Chà (Differ from)

D. 曾

4. Chuǎng (Rush)

E. 差

5. Léi (Thunder)

#99.

A. 软

1. Shǔ (Shu, a state in the Zhou Dynasty)

B. 辣

2. Là (Peppery)

C. 蜀

3. Ruǎn (Soft)

D. 趟   4. Tāng (Ford)

E. 寄   5. Jì (Send)

#100.

A. 磨   1. Mǐ (Quell)

B. 焉   2. Yān (Here)

C. 屏   3. Mò (Mill)

D. 施   4. Shī (Execute)

E. 弭   5. Bǐng (Hold)

#101.

A. 匾   1. Bó (Strong aroma)

B. 郜   2. Gào (A surname)

C. 炅   3. Jiǒng (Sunlight)

D. 虐   4. Biǎn (Plaque)

E. 醇   5. Nüè (Cruel)

#102.

A. 刹   1. Yú (The joint formed by the lateral end of the clavicle of the human body and the acromion of the scapula)

B. 掬   2. Diū (Lose)

C. 瓣   3. Bàn (Petal)

D. 髑　　　　　　　　4. Tāo (Dig a hole)

E. 丢　　　　　　　　5. Chà (Buddhist temple)

#103.

A. 猾　　　　　　　　1. Zhèng (Stare blankly)

B. 褪　　　　　　　　2. Hán (Cold)

C. 文　　　　　　　　3. Huá (Sly)

D. 寒　　　　　　　　4. Tuì (Take off)

E. 怔　　　　　　　　5. Wén (Character)

#104.

A. 葭　　　　　　　　1. Léi (Tie)

B. 赪　　　　　　　　2. Chán (Greedy)

C. 累　　　　　　　　3. Jiā (The young shoot of a reed)

D. 魔　　　　　　　　4. Chēng (Red)

E. 馋　　　　　　　　5. Mó (Devil)

#105.

A. 馅　　　　　　　　1. Hāng (Rammer)

B. 脉　　　　　　　　2. Xiàn (Filling)

C. 夯　　　　　　　　3. Mò (Affectionately)

D. 鲑   4. Kòu (Knock)

E. 叩   5. Guī (Salmon)

#106.

A. 畏   1. Wèi (Fear)

B. 沉   2. Chén (Sink)

C. 背   3. Bēi (Carry on the back)

D. 邺   4. Zhào (Zhao, a state in the Zhou Dynasty)

E. 赵   5. Yè (An ancient place name)

#107.

A. 照   1. Lù (Used in place names)

B. 苗   2. Miáo (Seedling)

C. 盈   3. Bào (Leopard)

D. 豹   4. Zhào (Illuminate)

E. 六   5. Yíng (Be full of)

#108.

A. 赞   1. Xiá (Crafty)

B. 采   2. Zàn (Help)

C. 黠   3. Kào (Lean against)

D. 细

4. Cài (Feudal estate)

E. 靠

5. Xì (Fine)

#109.

A. 弗

1. Rěn (Bear)

B. 衰

2. Qī (Relative)

C. 忍

3. Cuī (Decrease)

D. 戚

4. Zhòu (Wall of a well)

E. 甃

5. Fú (Not)

#110.

A. 阬

1. Kēng (Hole)

B. 蛇

2. Shé (Snake)

C. 瓠

3. Hù (A kind of edible gourd)

D. 至

4. Niǔ (Be bound by)

E. 狃

5. Zhì (To)

#111.

A. 胱

1. Mài (Sell)

B. 和

2. guāng (Bladder)

C. 失

3. Shī (Lose)

D. 翡   4. Huó (Mix with water, etc.)

E. 卖   5. Fěi (Halcyon)

#112.

A. 彦   1. Quán (Counterpoise)

B. 烂   2. Làn (Mashed)

C. 权   3. Cān (Eat)

D. 曲   4. Yàn (Elegant)

E. 餐   5. Qū (Bent)

#113.

A. 沫   1. Chèn (Take advantage of)

B. 霆   2. Tíng (Thunder)

C. 趁   3. Zhù (Live)

D. 住   4. Mò (Foam)

E. 随   5. Suí (Follow)

#114.

A. 云   1. Yún (Surname)

B. 衰   2. Hú (A dry measure used in former times, originally equal to 10 dou, later 5 dou)

C. 妄   3. Yùn (Pregnant)

D. 斛   4. Cuī (Decrease)

E. 孕   5. Wàng (Arrogant)

#115.

A. 魈   1. Shà (A tall building)

B. 厦   2. Yuán (Shafts of a cart or carriage)

C. 翰   3. Tǐ (Body)

D. 辕   4. Hàn (Peng)

E. 体   5. Xiāo (Mountain elf)

#116.

A. 狩   1. Xiào (Filial piety)

B. 孝   2. Hù (A kind of edible gourd)

C. 瓠   3. Tún (Stuffed dumplings)

D. 饨   4. Shòu (Hunt in winter)

E. 匦   5. Guǐ (Box)

#117.

A. 和   1. Jiā (The young shoot of a reed)

B. 鸢   2. Yuān (Kite)

C. 斫   3. Qiāng (An ancient axe)

D. 繁

4. Pó (A surname)

E. 葭

5. Huò (Mix)

#118.

A. 刻

1. Yīn (Yin, the feminine or negative principle in nature)

B. 的

2. Pí (A surname)

C. 郫

3. Kè (Carve)

D. 阴

4. Cāng (Warehouse)

E. 仓

5. De (And so on)

#119.

A. 浅

1. Jì (Already)

B. 既

2. Zuò (Sit)

C. 羔

3. Wàng (Look over)

D. 坐

4. Gāo (Lamb)

E. 望

5. Qiǎn (Shallow)

#120.

A. 脖

1. Yǎn (Upright bar for fastening door)

B. 烬

2. Bó (Neck)

C. 狐

3. Yì (Name of a master archer)

D. 伐   4. Hú (Fox)

E. 羿   5. Fá (Fell)

CHAPTER 5: QUESTIONS (121-150)

#121.

A. 沘

B. 怯

C. 覃

D. 异

E. 形

1. Qín (A surname)

2. Xíng (Form)

3. Qiè (Timid)

4. Yì (Different)

5. Cǐ (Clear)

#122.

A. 厕

B. 灿

C. 翡

D. 臭

E. 渤

1. Cè (Lavatory)

2. Chòu (Smelly)

3. Càn (Bright)

4. Bó (Bohai Sea)

5. Fěi (Kingfisher)

#123.

A. 个

B. 髪

C. 莹

D. 辈

1. Yíng (Jade-like stone)

2. Shú (Redemption)

3. Gè (Individual)

4. Bèi (Generation in family)

E. 赎

5. Bì (Wig)

#124.

A. 复

1. Hán (Case)

B. 鲊

2. Bó (Silks)

C. 函

3. Zhǎ (Salted fish)

D. 流

4. Fù (Repeated)

E. 帛

5. Liú (Flow)

#125.

A. 奘

1. Yún (Tidily tilled)

B. 昀

2. Liáng (Measure)

C. 弟

3. Zàng (Big)

D. 量

4. Hū (Dim)

E. 惚

5. Dì (Younger brother)

#126.

A. 幻

1. Jīn (Jin, a unit of weight)

B. 斤

2. Shī (Lose)

C. 毕

3. Xū (Must)

D. 失

4. Huàn (Unreal)

E. 须   5. Bì (Finish)

#127.

A. 婕   1. Jié (Handsome)

B. 卷   2. Xiù (Odor)

C. 臭   3. Jiē (Bear fruit)

D. 结   4. Juǎn (Embroil)

E. 渣   5. Zhā (Dregs)

#128.

A. 释   1. De (And so on)

B. 猴   2. Jī (Pin down)

C. 犄   3. Shì (Explain)

D. 靪   4. Dīng (Mend the sole of a shoe)

E. 的   5. Hóu (Monkey)

#129.

A. 要   1. Huī (Clash)

B. 钱   2. Xū (Void)

C. 遍   3. Biàn (All over)

D. 虚   4. Qián (Copper coin)

E. 豕   5. Yào (Important)

#130.

A. 碎   1. Hán (A surname)

B. 窬   2. Tíng (Pavilion)

C. 亭   3. Suì (Break to pieces)

D. 猪   4. Yú (Climb over a wall)

E. 邯   5. Zhū (Hog)

#131.

A. 尴   1. Gān (Embarrassed)

B. 惫   2. Bèi (Exhausted)

C. 句   3. Sōng (Pine)

D. 松   4. Jiàng (Craftsman)

E. 匠   5. Gōu (Tender bud)

#132.

A. 稽   1. Liè (Strong)

B. 烈   2. Dīng (Earwax)

C. 耵   3. Bì (Be cautious)

D. 席   4. Xí (Seat)

E. 毖   5. Jī (A surname)

#133.

A. 脑   1. Shà (Shake)

B. 署   2. Nǎo (Brain)

C. 旁   3. Shǔ (A government office)

D. 沙   4. Bèi (Vigorous)

E. 孛   5. Páng (Other)

#134.

A. 尼   1. Ní (Buddhist nun)

B. 永   2. Yǒng (Forever)

C. 个   3. Méi (No)

D. 缝   4. Fèng (Seam)

E. 没   5. Gè (Individual)

#135.

A. 吐   1. Fù (Swim)

B. 望   2. Wàng (Look over)

C. 洑   3. Tù (Vomit)

D. 陧   4. Niè (Uneasy)

E. 不   5. Bù (Do not)

#136.

A. 燕   1. Qū (The human body)

B. 特   2. Gēng (Change)

C. 躯   3. Tè (Particular)

D. 斛   4. Yàn (Swallow)

E. 更   5. Hú (A dry measure used in former times, originally equal to 10 dou, later 5 dou)

#137.

A. 诺   1. Fù (Endow)

B. 糜   2. Tè (Make a mistake)

C. 赋   3. Méi (Broomcorn millet)

D. 叵   4. Pǒ (Impossible)

E. 忒   5. Nuò (Promise)

#138.

A. 陈   1. Chén (Lay out)

B. 乍   2. Zhà (For the first time)

C. 奈   3. Gǔ (Ancient)

D. 邙
China)

4. Máng (The name of the mountain, in Henan Province,

E. 古

5. Nài (A kind of apple)

#139.

A. 乱

1. Luàn (In a mess)

B. 屁

2. Hóng (Swan goose)

C. 鸿

3. Hòu (Thick)

D. 臀

4. Tún (Buttocks)

E. 厚

5. Pì (Wind)

#140.

A. 晃

1. Huàng (Shake)

B. 票

2. Fáng (Workshop)

C. 坊

3. Pā (Lie on one's stomach)

D. 涨

4. Piào (Ticket)

E. 趴

5. Zhǎng (Rise)

#141.

A. 脊

1. Jí (Spine)

B. 晟

2. Záo (Chisel)

C. 邵

3. Shèng (Bright)

D. 弐   4. Dài (Glucoside)

E. 齔   5. Lǚ (Lü (an ancient city in Shanxi Province))

#142.

A. 赝   1. Yàn (Counterfeit)

B. 冲   2. Lín (Continuous heavy rain)

C. 弶   3. Láng (A surname)

D. 霖   4. Jiàng (Tools for catching mice, birds, etc.)

E. 琅   5. Chòng (Powerful)

#143.

A. 润   1. Mò (Tip)

B. 诺   2. Rùn (Lubricate)

C. 烬   3. Chuāng (Window)

D. 窗   4. Nuò (Promise)

E. 末   5. Jìn (Cinder)

#144.

A. 鳗   1. Mán (Eel)

B. 桂   2. Yān (Here)

C. 焉   3. Hú (Coral)

D. 鲫

4. Guì (Cassia)

E. 瑚

5. Jì (Crucian carp)

#145.

A. 赏

1. Shǎng (Grant a reward)

B. 油

2. Lìn (Stingy)

C. 辽

3. Liáo (Distant)

D. 吝

4. Yóu (Oil)

E. 辱

5. Rǔ (Disgrace)

#146.

A. 欸

1. Gū (Gu (surname))

B. 辜

2. Bì (Assist)

C. 阳

3. Shì (Explain)

D. 释

4. Ēi (Hey)

E. 弼
nature)

5. Yáng (Yang, the masculine or positive principle in

#147.

A. 汤

1. Féng (Sew)

B. 鲔

2. Nà (That)

C. 那

3. Liè (Hunt)

D. 猎   4. Wěi (Yaito tuna)

E. 缝   5. Tāng (Hot water)

#148.

A. 泗   1. Yé (At the end of a sentence (like 啊))

B. 愦   2. Kuì (Muddleheaded)

C. 隙   3. Duò (Pack)

D. 驮   4. Sì (Nasal mucus)

E. 耶   5. Xì (Crack)

#149.

A. 覃   1. Máng (Busy)

B. 饕   2. Hún (Huntun)

C. 忙   3. Tán (Deep)

D. 馄   4. Tāo (Covetous)

E. 那   5. Nuó (A surname)

#150.

A. 域   1. Mǐn (Another name for Fujian Province)

B. 闽   2. Sù (Lodge for the night)

C. 宿   3. Yù (Land within certain boundaries)

D. 愿   4. Yuàn (Hope)

E. 肌   5. Jī (Muscle)

ANSWERS (1-150)

#1.	C. Fěi		B. Qiāng	E. Dá	A. Zàn	D. Xū
A. Měng	D. Chuān	#44.	C. Chì		B. Cài	E. Huī
B. Tū	E. Qián	A. Jí	D. Bìng	#87.	C. Xiá	
C. Gū		B. Bù	E. Zhōng	A. Zhī	D. Xì	#130.
D. Ào	#23.	C. Yuè		B. Chóng	E. Kào	A. Suì
E. Pō	A. Mó	D. Fěi	#66.	C. Biàn		B. Yú
	B. Xiāo	E. Jiù	A. Hán	D. Chén	#109.	C. Tíng
#2.	C. Xiè		B. Yào	E. Měng	A. Fú	D. Zhū
A. Zhí	D. Bì	#45.	C. Xuàn		B. Cuī	E. Hán
B. Wèi	E. Gāng	A. Huán	D. Guī	#88.	C. Rěn	
C. Tǎn		B. Jiè	E. Còu	A. Liàng	D. Qī	#131.
D. Sì	#24.	C. Yào		B. Juàn	E. Zhòu	A. Gān
E. Lú	A. Yuán	D. Gòng	#67.	C. Yì		B. Bèi
	B. Cūn	E. Mào	A. Lìng	D. Luàn	#110.	C. Gōu
#3.	C. Wǎng		B. Tóu	E. Hú	A. Kēng	D. Sōng
A. Hǎi	D. Yóu	#46.	C. Juàn		B. Shé	E. Jiàng
B. Jiá	E. Rì	A. Cè	D. Bù	#89.	C. Hù	
C. Huán		B. Gān	E. Biāo	A. Xiè	D. Zhì	#132.
D. Yì	#25.	C. Jiàng		B. Wǔ	E. Niǔ	A. Jī
E. Tián	A. Huī	D. Bō	#68.	C. Yì		B. Liè
	B. Luán	E. Gěng	A. Zhuāng	D. Yǐ	#111.	C. Dīng
#4.	C. Yáng		B. Zā	E. Zhì	A. guāng	D. Xí
A. Dài	D. Jiān	#47.	C. Zhòu		B. Huó	E. Bì
B. Chǐ	E. Qián	A. Xī	D. Qī	#90.	C. Shī	
C. Cháo		B. Tī	E. Wài	A. Yú	D. Fěi	#133.
D. Tiǎn	#26.	C. Zhǐ		B. Tā	E. Mài	A. Nǎo
E. Luǎn	A. Yè	D. Ǎn	#69.	C. Méng		B. Shǔ
	B. Jiǎ	E. Qū	A. Jìng	D. Gōng	#112.	C. Páng
#5.	C. Chuān		B. Gē	E. Chéng	A. Yàn	D. Shà
A. Jī	D. Āi	#48.	C. Lù		B. Làn	E. Bèi
B. Hún	E. Yì	A. Shè	D. Zhē	#91.	C. Quán	
C. Yuàn		B. Fú	E. Fèng	A. Chà	D. Qū	#134.

D. Yě	#27.	C. Tū		B. Shāng	E. Cān	A. Ní
E. Jìn	A. Fēng	D. Lǜ	#70.	C. Lú		B. Yǒng
	B. Zǎo	E. Zài	A. Gě	D. Zǐ	#113.	C. Gè
#6.	C. Sān		B. Cóng	E. Chéng	A. Mò	D. Fèng
A. Jùn	D. Yún	#49.	C. Yí		B. Tíng	E. Méi
B. Chà	E. Lí	A. Piào	D. Dí	#92.	C. Chèn	
C. Tóu		B. Quán	E. Tóng	A. Jì	D. Zhù	#135.
D. Téng	#28.	C. Xiè		B. Hún	E. Suí	A. Tù
E. Yǎn	A. Luán	D. Zhèng	#71.	C. Niàn		B. Wàng
	B. Huī	E. Má	A. Jiàn	D. Chù	#114.	C. Fù
#7.	C. Niàn		B. Rǎn	E. Mā	A. Yún	D. Niè
A. Diān	D. Dì	#50.	C. Lián		B. Cuī	E. Bù
B. Kuān	E. Liàng	A. Ná	D. Sī	#93.	C. Wàng	
C. Fú		B. Zhuàng	E. Shěn	A. Dōng	D. Hú	#136.
D. Piān	#29.	C. Mò		B. Ruǎn	E. Yùn	A. Yàn
E. Lún	A. Xiù	D. Jù	#72.	C. Kuàng		B. Tè
	B. Mǐ	E. Shè	A. Jué	D. Pān	#115.	C. Qū
#8.	C. Lóng		B. Tì	E. Wàn	A. Xiāo	D. Hú
A. Gǒu	D. Fěi	#51.	C. Shùn		B. Shà	E. Gēng
B. Hàn	E. Cè	A. Fù	D. Sǎo	#94.	C. Hàn	
C. Zòng		B. Yún	E. Wān	A. Lè	D. Yuán	#137.
D. Bān	#30.	C. Sū		B. Jīng	E. Tǐ	A. Nuò
E. Gēng	A. Fú	D. Qī	#73.	C. Shěn		B. Méi
	B. Jiāo	E. Fù	A. Bàn	D. Xiè	#116.	C. Fù
#9.	C. Guī		B. Chāo	E. Huī	A. Shòu	D. Pǒ
A. Biān	D. Bǐ	#52.	C. Kuǎn		B. Xiào	E. Tè
B. Mài	E. Gē	A. Ní	D. Shàng	#95.	C. Hù	
C. Rěn		B. Lù	E. Bì	A. Biǎo	D. Tún	#138.
D. Zhuǎn	#31.	C. Zōng		B. Biě	E. Guǐ	A. Chén
E. Chāi	A. Sī	D. Biān	#74.	C. Qiān		B. Zhà
	B. Xiū	E. Lǚ	A. Zhèng	D. Liú	#117.	C. Nài
#10.	C. Jié		B. Páng	E. Dài	A. Huò	D. Máng
A. Liàn	D. Sì	#53.	C. Biàn		B. Yuān	E. Gǔ
B. Tǎ	E. Huò	A. Zhēng	D. Bǎi	#96.	C. Qiāng	
C. Kuàng		B. Kān	E. Liǔ	A. Háo	D. Pó	#139.

D. Shuāng	#32.	C. Kù		B. Shè	E. Jiā	A. Luàn
E. Chù	A. Xì	D. Zhài	#75.	C. Jí		B. Pì
	B. Hán	E. Yáo	A. Ěr	D. Xiá	#118.	C. Hóng
#11.	C. Ér		B. Zú	E. Pāo	A. Kè	D. Tún
A. Hé	D. Chún	#54.	C. Duò		B. De	E. Hòu
B. Jí	E. Qīng	A. Biàn	D. Chī	#97.	C. Pí	
C. Fěi		B. Hán	E. Mù	A. Lù	D. Yīn	#140.
D. Rèn	#33.	C. Qíng		B. Chǐ	E. Cāng	A. Huáng
E. Jīng	A. Yú	D. Diān	#76.	C. Le		B. Piào
	B. Qiào	E. Guàn	A. Cháng	D. Pǐ	#119.	C. Fáng
#12.	C. Ná		B. Wǎng	E. Jīn	A. Qiǎn	D. Zhǎng
A. Shàng	D. Lín	#55.	C. Mì		B. Jì	E. Pā
B. Bēi	E. Zhì	A. Dāngē	D. Fèn	#98.	C. Gāo	
C. Shà		B. Láo	E. Gē	A. Chuǎng	D. Zuò	#141.
D. Chuǎng	#34.	C. Páng		B. Dìng	E. Wàng	A. Jí
E. Chù	A. Yùn	D. Jué	#77.	C. Léi		B. Shèng
	B. Diàn	E. Yán	A. Xuàn	D. Céng	#120.	C. Lǚ
#13.	C. Pì		B. Yán	E. Chà	A. Bó	D. Dài
A. Xuàn	D. Bìng	#56.	C. Yàn		B. Yǎn	E. Záo
B. Kǎ	E. Líng	A. Qiǎng	D. Gōu	#99.	C. Hú	
C. Péng		B. Yù	E. Zhuàng	A. Ruǎn	D. Fá	#142.
D. Liǎn	#35.	C. Lǚ		B. Là	E. Yì	A. Yàn
E. Bà	A. Fú	D. Bào	#78.	C. Shǔ		B. Chòng
	B. Zhě	E. Qíng	A. Bì	D. Tāng	#121.	C. Jiàng
#14.	C. Yǔn		B. Hán	E. Jì	A. Cǐ	D. Lín
A. Cán	D. Chuàn	#57.	C. Fēi		B. Qiè	E. Láng
B. Nài	E. Chà	A. Jù	D. Jué	#100.	C. Qín	
C. Chóng		B. Cuàn	E. Dá	A. Mò	D. Yì	#143.
D. Jǐng	#36.	C. Fú		B. Yān	E. Xíng	A. Rùn
E. Xiāo	A. Lā	D. Chèng	#79.	C. Bǐng		B. Nuò
	B. Wú	E. Gōng	A. Yě	D. Shī	#122.	C. Jìn

#15.	C. Gōng		B. Gě	E. Mǐ	A. Cè	D. Chuāng
A. Yǐ	D. Yǔn	#58.	C. Yā		B. Càn	E. Mò
B. Gǔ	E. Yūn	A. Kǎ	D. Chún	#101.	C. Fěi	
C. Zhē		B. Zhēng	E. Tǔn	A. Biǎn	D. Chòu	#144.
D. Jìng	#37.	C. Jiǔ		B. Gào	E. Bó	A. Mán
E. Yún	A. Táng	D. Tàn	#80.	C. Jiǒng		B. Guì
	B. Zhǔn	E. Jiā	A. Fù	D. Nüè	#123.	C. Yān
#16.	C. Huì		B. Zhī	E. Bó	A. Gè	D. Jì
A. Nuó	D. Yīn	#59.	C. Liú		B. Bì	E. Hú
B. Jǐng	E. Jiǒng	A. Chí	D. Lù	#102.	C. Yíng	
C. Tà		B. Huá	E. Qiáng	A. Chà	D. Bèi	#145.
D. Rù	#38.	C. Yān		B. Tāo	E. Shú	A. Shǎng
E. Bù	A. Liàng	D. Shú	#81.	C. Bàn		B. Yóu
	B. Qín	E. Shān	A. Tǐng	D. Yú	#124.	C. Liáo
#17.	C. Zhòu		B. Liú	E. Diū	A. Fù	D. Lìn
A. Zuò	D. Sù	#60.	C. Dí		B. Zhǎ	E. Rǔ
B. Xū	E. Chòng	A. Pǎo	D. Chì	#103.	C. Hán	
C. Wú		B. Yáo	E. Guī	A. Huá	D. Liú	#146.
D. Gē	#39.	C. Fù		B. Tuì	E. Bó	A. Ēi
E. Yòu	A. Dì	D. Ní	#82.	C. Wén		B. Gū
	B. Kuì	E. Ào	A. Qī	D. Hán	#125.	C. Yáng
#18.	C. Yāo		B. Wú	E. Zhèng	A. Zàng	D. Shì
A. Kuī	D. Càn	#61.	C. Jué		B. Yún	E. Bì
B. Suǒ	E. Gāng	A. Wàng	D. Lěng	#104.	C. Dì	
C. Chōu		B. Sì	E. Zhēng	A. Jiā	D. Liáng	#147.
D. Xuàn	#40.	C. Bèi		B. Chēng	E. Hū	A. Tāng
E. Pǐ	A. Kū	D. Mó	#83.	C. Léi		B. Wěi
	B. Hóng	E. Tóng	A. Xǐ	D. Mó	#126.	C. Nà
#19.	C. Yù		B. Zǎo	E. Chán	A. Huàn	D. Liè
A. Yuán	D. Tíng	#62.	C. Xuàn		B. Jīn	E. Féng
B. Chéng	E. Suí	A. Jiè	D. Lí	#105.	C. Bì	
C. Yán		B. Wǒ	E. Jì	A. Xiàn	D. Shī	#148.

D. Bèi	#41.	C. Piáo		B. Mò	E. Xū	A. Sì
E. Jiān	A. Tǎn	D. Qiàng	#84.	C. Hāng		B. Kuì
	B. Huì	E. Bèi	A. Chàng	D. Guī	#127.	C. Xì
#20.	C. Tóng		B. Zhā	E. Kòu	A. Jié	D. Duò
A. Chóu	D. Shèn	#63.	C. Bàn		B. Juǎn	E. Yé
B. Jiǎo	E. Qì	A. Lěng	D. Wèi	#106.	C. Xiù	
C. Jú		B. Ruò	E. Pín	A. Wèi	D. Jiē	#149.
D. Zhuī	#42.	C. Shèng		B. Chén	E. Zhā	A. Tán
E. Xuān	A. Mò	D. Xiāng	#85.	C. Bēi		B. Tāo
	B. Mài	E. Sǎo	A. Bèi	D. Yè	#128.	C. Máng
#21.	C. Fǎn		B. Suí	E. Zhào	A. Shì	D. Hún
A. Yàn	D. Ér	#64.	C. Chuán		B. Hóu	E. Nuó
B. Bài	E. Gù	A. Guāi	D. Wǎn	#107.	C. Jī	
C. Qiāng		B. Zhě	E. Shàn	A. Zhào	D. Dīng	#150.
D. Mǐ	#43.	C. Xiáng		B. Miáo	E. De	A. Yù
E. Nú	A. Tián	D. Cuō	#86.	C. Yíng		B. Mǐn
	B. Hū	E. Qiāng	A. Páo	D. Bào	#129.	C. Sù
#22.	C. Shú		B. Mèi	E. Lù	A. Yào	D. Yuàn
A. Ǎi	D. Dā	#65.	C. Hè		B. Qián	E. Jī
B. Cī	E. Shè	A. Kuàng	D. Lǒng	#108.	C. Biàn	

Milton Keynes UK
Ingram Content Group UK Ltd.
UKHW051030221123
433051UK00018B/699

9 798887 344010